这是我的书
It's MY BOOK
7级：400字

追龙卷风的人

作者：秦志宁（Zhining Chin）
配图：秦志宁（Zhining Chin）

北京语言大学出版社
BEIJING LANGUAGE AND CULTURE UNIVERSITY PRESS
PHOENIX TREE PUBLISHING INC.

识读　雷　照相　迷　破坏
集合　面貌　乌云　响

句型　他们日夜不停地追着龙卷风
（人）……（如何）地……
（做什么）

字数　420字

shén me shì lóng juǎn fēng tā gěi wǒ men de
什么是龙卷风？它给我们的
shēng huó dài lai le shén me xiǎng yào rèn shi tā
生活带来了什么？想要认识它
de zhēn miàn mào jiù yào zǒu jìn lóng juǎn fēng kàn yi
的真面貌，就要走近龙卷风看一
kàn zhè shì hěn wēi xiǎn de
看，这是很危险的。

kě shì yǒu xiē rén bú hài pà tā men kāi zhe
可是有些人不害怕，他们开着
chē bēi zhe zhào xiàng jī rì yè bù tíng de zhuī
车，背着照相机，日夜不停地追
zhe lóng juǎn fēng pāi xia le lóng juǎn fēng de miàn mào
着龙卷风，拍下了龙卷风的面貌。

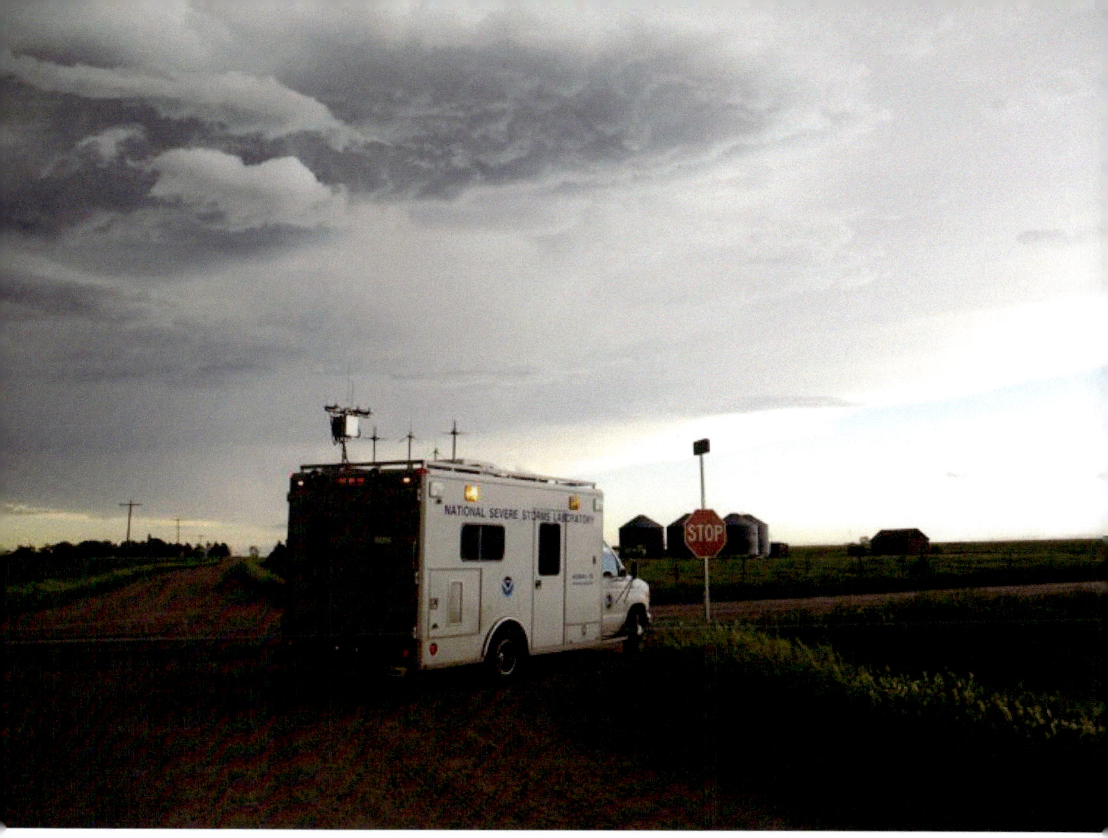

zhè xiē rén zhōng yǒu de shì qì xiàng zhuān jiā
这些人中有的是气象专家，
yǒu de shì shè yǐng shī gěi lóng juǎn fēng pāi zhào hěn
有的是摄影师。给龙卷风拍照很
wēi xiǎn kě shì tā men dé dào le chéng gōng de kuài
危险，可是他们得到了成功的快
lè yǒu xiē rén hái mí shang le zhuī lóng juǎn fēng
乐。有些人还迷上了追龙卷风，
měi nián dōu huì pǎo lái pǎo qù de zhuī fēng
每年都会跑来跑去地追风。

yī jiǔ jiǔ jiǔ nián tiān qì yù bào shuō é kè lā hé
1999 年，天气预报说俄克拉荷

mǎ zhōu yǒu lóng juǎn fēng yí gè xiǎo fēn duì mǎ shàng
马州有龙卷风，一个小分队马上

jiù chū fā le tā men zài é zhōu zhōng bù yù shang
就出发了。他们在俄州中部遇上

le lóng juǎn fēng
了龙卷风。

nǐ kàn zhè jiù shì tā men pāi dào de zhào
你看，这就是他们拍到的照
piàn cháng cháng de lóng juǎn fēng cóng dì shang yì sǎo ér
片，长长的龙卷风从地上一扫而
guò nà ge cháng bí zi pāi de duō qīng chǔ
过。那个“长鼻子”拍得多清楚
a cháng bí zi zǒu guò de dì fang fáng
啊！“长鼻子”走过的地方，房
wū dōu bèi chuī dǎo le shù mù dōu bèi bá le qi
屋都被吹倒了，树木都被拔了起
lai lóng juǎn fēng de pò huài lì tài dà le
来。龙卷风的破坏力太大了！

lóng juǎn fēng lái zhī qián shì shén me yàng ne zhè shì
龙卷风来之前是什么样呢？这是
jiā lì fú ní yà zhōu èr líng yī liù nián yǔ jì de yì tiān
加利福尼亚州2016年雨季的一天，
tài yáng gāng xià shān dà tuán dà tuán de wū yún jiù jí hé
太阳刚下山，大团大团的乌云就集合
qi lai tiān kōng zhōng diàn shǎn léi míng kàn wū yún
起来，天空中电闪雷鸣。看，乌云
zhè me hòu zhè me kuān shǎn diàn liàng de xiàng yì bǎ bǎo
这么厚，这么宽，闪电亮得像一把宝
jiàn yí xià zi cì kai le wū yún bǎ tiān kōng zhào liàng
剑，一下子刺开了乌云，把天空照亮
le shǎn diàn guò hòu tiān kōng zhōng yòu xiǎng qi lóng lóng
了。闪电过后，天空中又响起隆隆
de léi shēng zhè jiù shì lóng juǎn fēng yào lái de qián zhào
的雷声。这就是龙卷风要来的前兆。

kàn zhè shì zài wēi sī kāng xīng zhōu pāi dào

看，这是在威斯康星州拍到

de lóng juǎn fēng zhōng xīn dì dài zhè wèi shè yǐng shī

的龙卷风中心地带。这位摄影师

yì zhí bǎ chē kāi dào le lóng juǎn fēng de xià fāng

一直把车开到了龙卷风的下方，

zǒu dào lí zhè ge jù dà de yún tuán hěn jìn de dì

走到离这个巨大的云团很近的地

fang gěi tā pāi zhào zhēn shì liǎo bu qǐ a

方给它拍照，真是了不起啊！

1 什么是龙卷风？它给我们的生活带来了什么？想要认识它的真面貌，就要走近龙卷风看一看，这是很危险的。

2 可是有些人不害怕，他们开着车，背着照相机，日夜不停地追着龙卷风，拍下了龙卷风的面貌。

3 这些人中有的是气象专家，有的是摄影师。给龙卷风拍照很危险，可是他们得到了成功的快乐。有些人还迷上了追龙卷风，每年都会跑来跑去地追风。

4 1999 年，天气预报说俄克拉荷马州有龙卷风，一个小分队马上就出发了。他们在俄州中部遇上了龙卷风。

5 你看，这就是他们拍到的照片，长长的龙卷风从地上一扫而过。那个“长鼻子”拍得多清楚啊！“长鼻子”走过的地方，房屋都被吹倒了，树木都被拔了起来。龙卷风的破坏力太大了！

6 龙卷风来之前是什么样呢？这是加利福尼亚州 2016 年雨季的一天，太阳刚下山，大团大团的乌云就集合起来，天空中电闪雷鸣。看，乌云这么厚，这么宽，闪电亮得像一把宝剑，一下子刺开了乌云，把天空照亮了。闪电过后，天空中又响起隆隆的雷声。这就是龙卷风要来的前兆。

7 看，这是在威斯康星州拍到的龙卷风中心地带。这位摄影师一直把车开到了龙卷风的下方，走到离这个巨大的云团很近的地方给它拍照，真是了不起啊！

1

2

3

4

5

6

看图讲故事

7